une saison en Éthiopie

エチオピアの季節

チャイナフリカ、マキアート、内戦前夜の3年間

ヴァンサン・ドゥフェ／カリム・ルブール 作

レオ・トリニダード 絵　　石村恵子 訳

花伝社

Une saison en Ethiopie,
written by Karim Lebhour, Vincent Defait and illustrated by Léo Trinidad
Steinkis © 2023

Japanese translation rights arranged with Steinkis
through Japan UNI Agency, Inc., Tokyo

コーヒーセレモニー

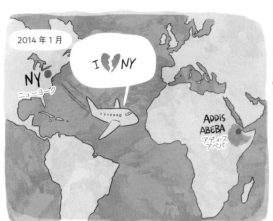

2014 年 1 月

I 💔 NY

NY
ニューヨーク

ADDIS
ABEBA
アディス
アベバ

エチオピアが
死んでゆく
少しずつ
少しずつ…♩

僕は今ニューヨークからエチオピアに
向かっている。シバの女王と
ハイレ・セラシエ皇帝の話を除けば、エチオピアには
1980 年代の飢饉のイメージしかない。

タクシー！

タクシー！

タクシー！

ニキは、娘のレアと一緒に
数週間前からエチオピアにいる。

ニキ！

カリム！

※こんにちは！（アムハラ語）

5

頭痛に驚かないでね。
海抜 2400m で
空気がうすいのよ

そのうち
慣れるわ

大気汚染はぜんぜん
改善しない…

着いたわ！

もう？

ええ、空港
ほとんど
街の中なのよ

住宅街にある僕たちの住居は、
ニキの職場の英国大使館が提供している。

ここよ
ステキな家でしょ！

6

昼夜交代の6人が家を警備してくれてる。

料理人を入れ使用人が10人ほど。小さな会社並みだ！

通信社で働くのは初めてだ。

チギスツ、パスワードは
大文字、それとも小文字？

イエス

僕の担当は、エチオピアだけじゃなく、
ジブチ、エリトリアそれに、アディスアベバに
本部があるアフリカ連合。

A United and Strong Africa
結束した強いアフリカ

3国とも報道の自由がもっとも
弾圧されている国として知られる。

国境なき記者団の
報道の自由度
180か国リストで

エチオピア　143位
ジブチ　169位
エリトリア　180位

電話
使っていい？

イエス

アディスを拠点とする
フランス人ジャーナリストの連絡先リストが
引き継ぎ書にあった。

もしもし
ヴァンサンさん
ですか？

コーヒー
セレモニー？
いえ、よく知り
ませんが
すぐ行きます。
では、また後ほど

ヴァンサンは、リ　ンャレ2人の子どもと3年前から
エチオピアで暮らしている。その前はコートジヴォワールとジュネーブ。
フランス語報道のフリージャーナリストだ。

ヴァンサンが、コーヒーセレモニーはエチオピアの伝統文化だと教えてくれた。豆を炒り、鞣いて、
セラミック製の伝統茶器「ジャバナ」で抽出し、小さなカップに注ぐ。

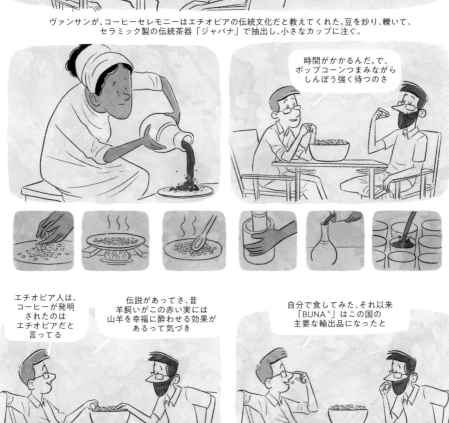

時間がかかるんだ。で、
ポップコーンつまみながら
しんぼう強く待つのさ

エチオピア人は、
コーヒーが発明
されたのは
エチオピアだと
言ってる

伝説があってさ、昔
羊飼いがこの赤い実には
山羊を幸福に酔わせる効果が
あるって気づき

自分で食してみた、それ以来
「BUNA ※」はこの国の
主要な輸出品になったと

※コーヒー

どのメディアも
「前例のない」とか
「並外れた」とか言って
次第に大げさになってく
…あげくのはて
信用を損なって終わる

その代わり
国連を担当した
時は最高だったよ

それでたいてい
番組中ずっと
生中継さ。
CNN の情報で満足
してりゃいいのに

ここエチオピアで
君は確実に変わる
だろうよ。役人たちの
言う情報ばかり
垂れ流す英語の
刊行物がいくつも
あるんだが

彼らの言うことには
気をつけろよ。
しょっちゅう数字を
捏造する

メールは無視するから、
電話してしつこく言うか
出向いてくしかない

外交官や NGO や
地方議員と
ネットワークが
作れれば、信頼できる
情報が得られる
ようになるよ

取材すべきルポ案件は
山のようにある
魅力的な国だ

例えば、モーゼの十戒を
刻んだ石版を入れた
契約の箱は
ここエチオピアの
アクスムの都に
保存されてる

それって
あのインディ・
ジョーンズの？

そう、ある教会
にあるんだ。
でも誰にも
見る権利は
ない

あっ
できたね！

君の初めての
エチオピア・
コーヒー

むむ…

13

ユー、チャイナ！

アディスに着いてビックリしたことの一つは、
街中どこも工事してること。

年10％以上の経済成長率のこの国は、
もはや国境なき歌手団が歌った
飢饉に苦しむあのエチオピアではない。

建設中のビルがいたる所、
ユーカリの木で組んだ
見るからにもろそうな足場で
囲われている。

アフリカ連合

今朝ヴァンサンが、アフリカ外交の中心、
アフリカ連合本部に連れてってくれた。

彼がよく呼ぶタクシー運転手、
テスファイエの車で。

テスファイエ、君は環状高速より
こっちの方が早いって
知ってたの？ 高速はすごい
混んでるらしいね

選択の余地は
ありませんや
ATO *

* 「ムッシュー」のアムハラ語

テスファイエはずっと古いラーダを運転して
いたが、最近奮発してトヨタのカローラを買った。

業界で幹部のテスファイエは、けっこう
いい生活をしてて、達者な英語を話す。

中国人は街中に
高速道路を
作ってくれやした

渋滞解消のため、中国エンジニアの助言で、アディスアベバは高速道路を整備した。
中には住宅街の真ん中をつっ切るのもあり、横断する歩行者に危険と脅威を強いている。

速くなりやしたが
出口を逃すと次の
ロータリは 2 キロ先でさ

創設 30 年後の今も採算が取れず、予算の
75％を国際パートナーが補填している。

驚くほど人が
いないな

報道センター
も見せるよ

ここも誰もいない…

常勤の記者はいないと思う。
僕は年1回のサミットの
時しか来たことない

外交官は？

似たようなもん
だろ、おそらく…

重大な事が起きると
時々安保理が開かれる
けど、そんな時は
君たちは呼ばれない

なるほど…

誰も見かけないのが
奇妙だけど
休日じゃないん
だろ？

ちがうよ、ほら
あそこで会議やってる

BIENNIAL REVIEW:
REPORT: COMPREHENSIVE
AFRICA AGRICULTURE
DEVELOPMENT
PROGRAMME.

隔年報告会：
アフリカ農業の
包括的開発計画

ほんとだ。
にしても
テーマが
国連ソックリ…

ディナー

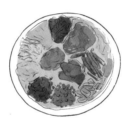

今夜、カリムとニキが夕食に来る。
2人に本場のエチオピア料理をふるまいたい。

アディスでは、たびたび
輸入食品が不足する。

3軒回ったが、
砂糖がなかった…

その代わり
ズッキーニ・
グラタン用の
チーズを見つけた

エチオピア料理作りは、今の僕の大きな楽しみの一つだ。

OOO

Asra woulet afeulegallo.*

Amharinya echelalleh？**

Tenish, tenish amharinya etchellalew？*

Gobez！**

*卵2個ください。 **アムハラ語が話せるんですか？

*ちょっとだけ

**上手ですよ

只鸡多少钱？

百

中国語を話してましたね？

話すしかないです、中国人は英語もアムハラ語も話さないから

Iyyehedhu, iyyehedh, iyyehede…

えっと…IYYEHEDHEN だっけ？ややこしいな、アムハラ語の動詞活用…

その夜のカリムとニキの家

ともかく何かあったら電話するんだよ

僕の電話番号知ってるよね？

遅くならずに帰るよ

Eshi!※

※わかりました

そんなに心配することないわよ！

すぐ近くに行くだけなんだから

ヴァンサンヒアー？

Awo※

※はい

君のマンガ・コレクションすごいな

ギィ・ドゥリールかやっぱな

ベンジャミン・フラオ？これ借りてっていい？

オランダ語版アステリックス・シリーズだ。スッゲー

ジョー・サッコも読んでみてよ

持ってるなら1冊貸してよ

ニキはイギリス大使館でソマリ州開発プロジェクトの
仕事をしている。サーシャが働いているのはユニセフだ。

ところで
エチオピア
はどう？

私がいた他のアフリカの国々とは
すごく違う。エチオピア好きよ
仕事も面白いし。でも当局と
付き合うのはいつも大変

そのうち分かると思うけど、エチオピア人は
独断的で自分たちの要求をハッキリ言うの。
ドナーが自分たちに合わせるべきで
その逆じゃないって考えてるのよ

ここは、とても
巨大な仕事場だわ。
イギリス政府から
最も多く援助を
受けているのが
エチオピア

ユニセフも同じ
ここは世界で2番目に
大きい事務所よ

滞在許可証の件は、
解決した？

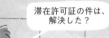

まだだよ。
来週行く
ことに
なってる

多くのエチオピア人と同じように、サーシャの
同僚アンナは、今進行中の変化を高く評価している。

今のエチオピアは私が
子どもだった頃と全然
ちがう。経済が急成長し
国を出た人たちが戻って
きてるわ。とても
ダイナミックな時代よ

何につけ自由がない、
野党の存在を認めないし
報道の自由もない。
「中国モデル」そのもの
では？違うの？

多分ね、でも私たちの
親世代は、もっとずっとひどい
デルグ※の旧ソビエト型体制を
生きてきたから

※社会主義エチオピア暫定軍事政権

今、開発援助金がどっと流れ込んでるけどドナー国は人権状況については何も言おうとしない

援助金は有効に使われ結果も出してるから。人口の3分の1が貧困から脱したのよ

政府にはロードマップがあるの発展援助はドナー国のやり方で自由にやってもらうでも我々に民主主義のレッスンはいらない

隣り合う国々とくらべりゃエチオピアは安定してるって意味じゃ模範国なんだよ

権威主義体制はいつだって安定してるさ。その権威が崩れるまでは

食おうぜ！

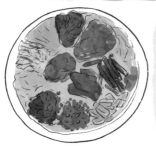

Shiro, doro wat, misir wat！*お手伝いさんといっしょに僕が作ったんだぜ

…もしもの場合にズッキーニのグラタンも作っといた

*ヒヨコ豆のピュレ、若鶏の煮込み、スパイシー赤レンズ豆

これはインジェラ？

そう、発酵したテフがベースだ

36

テノ！

グルテンフリーで栄養価の高いエチオピアのスーパーシリアルだよ

欧米で人気がでた時エチオピアは価格高騰を避けるためすぐにテフの輸出を禁止したわ

主食のテフは、数千万のエチオピア人を支えてるから

どう？
おいしい？

う～ん、すごくうまいってわけじゃ…

私たち
だ～い好き！

君には、ズッキーニ・グラタン持ってこようか？

87 番室

僕の書類は、淡々と、だが他の人のより念入りに調べられた。

Gazetenya newi Wedeti lilakewi ? *

*新聞記者です。どこに行かせたらいいですか？

ユーゴー オフィス 21
（あなたは 21 番室）

ユーニード ピクチャー オフィス 37
（写真が必要です。37 番室へ）

写真なら こんなに あります

ノー、ニュー ピクチャー！ ゴー オフィス 37
（ダメです。新しい写真を！37 番室を）

オフィス 42
（42 番室へ）

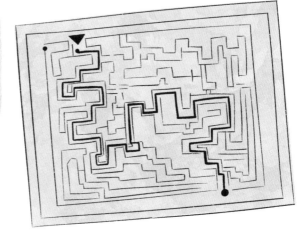

44

エチオピアの官僚主義の不条理は、いつものことらしい。
アメリカの新聞記者ポールも、同じような経験をしていた。

それで、スピード違反で警官に捕まり免許証を没収された。取り戻すには中央警察署に行かなきゃならないって言うんだ…

僕の免許証は数百の他のと一緒に、たしかに中央警察署にあった。
でも返してもらうには、そっから数キロ離れた交通局で、罰金を払わなきゃならないことがわかった。

交通局に行くと罰金を払う前に、45分離れた3つ目の
事務所に行って、罰金証に判をもらって来いって言われた。

今度は、下っ端役人が一人同行した。

いく度もやり取りして
やっとこさ役人が罰金証に判を押した

そういう
規則なの？

い〜や

交通局の窓口に
戻ると
コンピュータ
システムを
切ったところで
支払い不能…

翌日またそこ
に行ったんだ

で、罰金は
いくら
だったの？

6ドル

ケベル

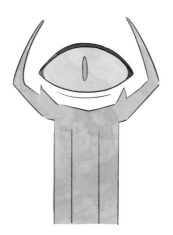

度重なる停電にもめげず、隣のケベルでは
連夜結婚パーティーが続いている。

それで、いっちょケベルを
見てくることにした。

へえ〜
これが
「ケベル」？

スピーカーの
管理者を
見つけたら…

この閑静な住宅街には、レクレーション施設
やテニスコートやカフェもある。

ホーンカード？
（電話カード？）

48

エチオピア人にとって電話カードは、証明書を更新したり、
請求書や家賃の支払いもできる、ワンストップ窓口みたいなプリペイドカードだ。

つながらん…

こうか
ダメか？

待って、数字を
読んでやるよ

ケベルのような行政施設は、デルグの独裁を
引き継ぎ、今も指導、監視、喧伝活動を担っている。

7648781913992189…

8か0か分かんないから
両方試してみて…

つながった！

まだカードは
3枚ある。
数週間は保つよ

体制が変わっても、ケベルは残った…

たいていの村ではケベルでの
住民集会が義務づけられている。

君、通訳
いるの？
僕、通訳に
辞められ
ちゃったよ

彼が言うには
外国人記者と
働くのは
リスクが
高すぎるって

ゾーン9の起訴*
以来、彼らは目に見えて
締めつけを強めてる

来年5月に
選挙があるからな

*公然と当局を批判したゾーン9グループの6人のブロガーに反テロ法が適用され、数か月前に
逮捕された。

メネリク宮殿

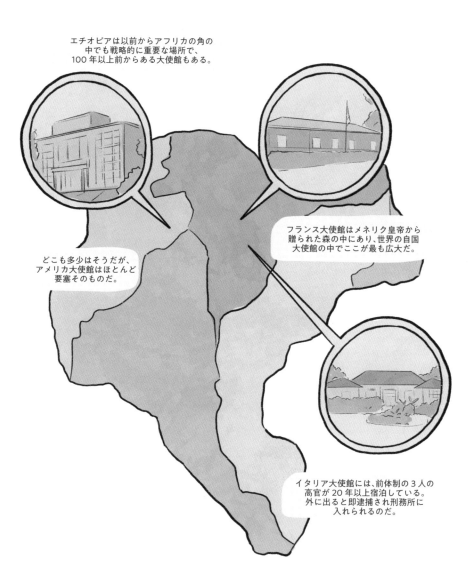

エチオピアは以前からアフリカの角の中でも戦略的に重要な場所で、100年以上前からある大使館もある。

フランス大使館はメネリク皇帝から贈られた森の中にあり、世界の自国大使館の中でここが最も広大だ。

どこも多少はそうだが、アメリカ大使館はほとんど要塞そのものだ。

イタリア大使館には、前体制の3人の高官が20年以上宿泊している。外に出ると即逮捕され刑務所に入れられるのだ。

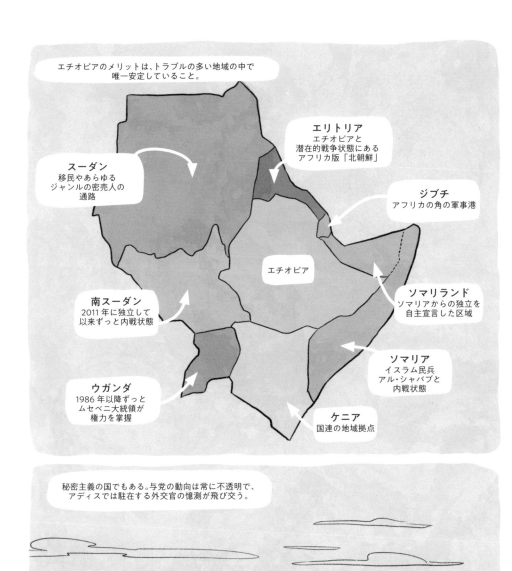

エチオピアのメリットは、トラブルの多い地域の中で
唯一安定していること。

スーダン
移民やあらゆる
ジャンルの密売人の
通路

エリトリア
エチオピアと
潜在的戦争状態にある
アフリカ版「北朝鮮」

ジブチ
アフリカの角の軍事港

エチオピア

ソマリランド
ソマリアからの独立を
自主宣言した区域

南スーダン
2011年に独立して
以来ずっと内戦状態

ソマリア
イスラム民兵
アル・シャバブと
内戦状態

ウガンダ
1986年以降ずっと
ムセベニ大統領が
権力を掌握

ケニア
国連の地域拠点

秘密主義の国でもある。与党の動向は常に不透明で、
アディスでは駐在する外交官の憶測が飛び交う。

首相はメネリク宮殿、エチオピア皇帝の元邸宅に住んでいる。

ハイレマリアム・デサレン首相が僕たちをそこに招き、記者会見するという。例外的出来事だ！

デルグに対抗したティグレ人民解放戦線の元ゲリラで1991年から2012年まで国を率いたメレス・ゼナウィ。

この宮殿は、1889年から1913年まで即位したメネリク2世により19世紀末に建てられ、エチオピア近現代史の動乱のすべてを見てきた。

メネリク2世はイタリアの第一次侵攻をアドワの戦いで阻み、近代エチオピアの始祖とされる。

後の皇帝ハイレ・セラシエ1世は、伝説によればソロモン王とシバの女王の子孫、1930年から1974年までこの宮殿に君臨。アムハラ人の主導権を確固たるものにした。

そのセラシエ皇帝は1974年の革命により失脚。その後このメンギスツ大佐率いるエチオピア社会主義の「デルグ」軍事暫定政府が、1991年まで権力の座にあった。

1991 年に、デルグ独裁体制はメレス・ゼナウィ率いる
ティグレ地方の反乱勢力により転覆され、現体制に移行。

ティグレ人たちは、すべての民族・言語グループの平等と自立を保障する
「民族連邦主義」を打ち出したが、実際には、軍部をはじめすべての
権力領域をティグレ※人が支配している。

※ティグライと表記する場合もある

ゼナウィの後継者のデサレン現首相はエチオピア南部の
少数民族ウォライタ族の出身だが、この民族の政治的影響力はごくわずか。

知名度は低くとも、そのデサレン首相が
前例なき経済発展時代と目される今のエチオピアの
まぎれもないトップである。

ベラベラ…
工業化…

ベラベラベラ
…発展…

テロリスト
メンバー…
ベラベラベ
ラ…扇動者
…

ここにいるオブザーバーは、裏で統治しているのは
TPLF[※]で、デサレン首相は TPLF に従うほかない、
という実状をみな心得ている。

※ティグレ人民解放戦線　与党連合 (EPRDF) を構成する一政党

断言しますが
複数政党制による
民主主義国家に
ならなければ
エチオピアは
ソマリアのように
なってしまいます！

？

これ
ニュース
なのか？

際限ないモノローグの後、デサレン首相の
口調が急にソフトになったように聞こえた。

これを記者たち
に報道させ
ようっての？

それで、中の
様子はどんな
でやした？

宮殿の剥製の
ライオンほど
エキゾティック
じゃなかったな

あぁ、複数政党の
民主主義を導入
するんだってさ

アハハ！

100%

早朝のアディスアベバはさながら、アマチュア・マラソンランナーたちの練習場だ。
標高 2400m で息切れしないのか…

そんなのどかさは数時間しか続かない。

今朝は全然
進みませんや

先月の選挙の結果が今日発表される。

テスファイエ
君は投票に
行ったの？

遅れるとまずいなぁ。
政権側が
減らした票数
すぐ知らせなきゃ
ならないのに

選挙結果を
発表します！

EPRDF*
547 議席

※エチオピア人民革命戦線　与党連合

1991 年以来の政権同盟が…
全議席を勝ち取りました

野党は、これまで保持していた
1 議席を失った。

…投票率 90%…

全票一致という信じがたい勝利。

…我々監視団は
何の不正も認め
ませんでした…

100%！

100%！

100%！

エチオピア人の同業者でさえ驚いていた。

イエス
100%!

政治的歩み寄りを
公約してたから、数議席は
野党に譲ると思ってたんだが

そんなフリ
さえしないとは

62

1か月前

野党
OPPOSITION

CANDIDATS DU PARTI
与党の候補者

完璧に閉鎖された与党の選挙キャンペーンには、そもそも疑念があった。

野党はアディスで、集会を開くのさえ一苦労。

DIMOKIRASI*！

*民主主義を！

人、少ないな

驚きゃしないね警官が集会場に近づくの妨害してんだから

こっちは驚き警官が自らテレビ撮影してるぜ

ポリスTVかよ…

当局は、集会のたび公共秩序を乱してると難癖をつけるんです

貼るそばからポスターをはがし活動家を逮捕します

候補者を周知する手段がない、どの選挙区も同じです

63

与党 EPRDF の選挙集会は、
市営のスタジアムで行われ、
満員バスで活動家を動員した。

LIMATI! *

*開発を！

どうでした？
奴らが全部
ぶんどった、でしょ？

あっしが
言ったとおり！

エチオピアは今、権威主義体制が陥りがちな
ジレンマに直面している。野党に議席を
与え続けると、統制力を失うのだ。

選挙なんて何の
役にも立ちゃ
しませんや

しかし政治的表明の場をうばえば、
不満は暴力的様相を帯びる。

だからエチオピア政権は、
批判の封じ込めを経済発展に賭けるのだ。

集団脱出

荷物あずけたら
いったん家にもどるよ！

アディス空港は、家から10分
ほど、ほとんど街中にある。

荷物をあずけたら、空港には
飛行機の出発直前に戻ればいい。

プリーズ
ヘルプ
(すみません)

ウェア？
ウェア？
(どこ？どこ？)

どこ行き
かって？

搭乗券
には
何と？

あぁ…

サウジアラビアの
ジェッダって
書いてあります

サウジアラビア！
オッケー！

さらに、運よくビザを取得できた者は、
渡航業者の手引きでヨーロッパを目指す。

スーダンとリビア砂漠を経由するルート、
これが一番危険だ。

アディスの貧困街チェルコの若者たちは、
合法的なヨーロッパ行きを目指していた。

数日前そのうちの2人がリビアで
ジハーディストに殺された。

処刑の場面がインターネットで拡散し、
エチオピア中で物議をかもした。

チェルコでは
誰もが、渡航に
成功した誰かしら
を知っている

僕の兄はイギリスに
行くつもりです。
最後に便りがあった時は
まだスーダンでしたが

69

君たちは？
どこ
行きたいの？

ドイツ！

イタリア！

スウェーデン！

近年これほど増加しているのに、
エチオピア政府は、これら若き外交官たちに
大した便宜を図っていない。

僕の同期で最も
稼いでる人でも
銀行の窓口で働いて
良くて月1000ブル＊

ヨーロッパなら
1日で稼げる額
ですよね

＊約40ユーロ

渡航業者に
払う金さえ
あれば
今すぐ僕は
発ちたい

イサッツ避難所は小さな街のよう。
れんがの家部分と布テントの家部分がある。

頑丈な家のほうには、ヨーロッパや合衆国、
カナダへ難民申請しその返事を
数年間も待っている避難民が幾人もい る。

僕たちは
ソロモンに
会いに行った。
彼は３年間ここに
いる、という。

僕は１２年間
エリトリアの軍隊に
いました。そのうち
３年は刑務所です。
給料を請求
したからです

徴兵は義務ですが
期間は知らされ
ないんです

国境近くに
配属された時
逃げました。
一緒に脱走した者
たちは国境警備隊に
殺された。僕は
運がよかっただけ

合衆国から難民申請
の返事がくるまで
あと何年も
かかるでしょう

毎日、他の人たちの
ように渡航業者に
賭けるべきか
迷います

今年のヨーロッパの受け入れは
フランスとスイスだけ…
両方で１２名です

布テントの方は、空家も多い。毎日到着する避難民たちはここに長居はしない。

73

ナイル川のダム

飛行機に2時間乗り…

アソサの町で1泊…

バスに4時間ゆられ…

ゆれすぎ
吐きそう!

やっと、僕たちはナイル川についた。
スーダンとの国境近く、目の前には
大規模工事中の巨大ダム「ルネッサンス」。

スッゲー！

アフリカで一番の巨大ダムにようこそ！

エチオピア中から働きに来てます

みんなこのプロジェクトに参加して国を大変革したいのです！

多くのエチオピア人はまだ電気が使えませんが

16機のタービンが国中に必要な電気を供給するでしょう

新たに作られる工場にも！

中国の靴工場とか。

インドの砂糖工場とか。

隣国に電気を
売ること
だって
できます！

実際には、下流の国々はこの工事をまったく歓迎しておらず、ダムでナイル川が枯渇するのを心配している。

エジプトやスーダンがそう言ってますよね…

何言ってようとナイル川は彼らのものじゃありません！

これが理由で、50億ドルの建設費を出資する国際パートナーはいない。

我々は定期的に寄付キャンペーンを行い

このダムを100%エチオピアの資金で建設しています

このダムは国の誇りですから！

僕の叔父は公務員で、ダムへの「寄付」は義務です。毎月給料から天引きされてます！

僕たちはダムの貯水池になる地域を通過した。
木はすでに伐採され村人の退去が始まっていた。

自分の土地が水底になってしまう
村人たちを取材することは
できそうにないが

村人の強制退去は、ダムが象徴する
進歩の汚点にはならないのだろう。

それにその電力サービス、すぐに始まる気配ないし。

CLACK!
カチッ！

雨季

干ばつにあえぎ食糧危機が
懸念されている地域もある。

※エチオピア暦は13か月

地元の牛乳はしばしばアフラトキシン、畜産食品から検出される有害物質に汚染されている。

高熱加工乳は輸入品でなかなか手に入らない。新規入荷は望外のラッキーニュースなのだ。

エチオピアは海に面していないので、たいていの輸入品はジブチの港から800km、トラックで運ばれてくる。

パスタにはマカロニまたは…マカロニめっけ！

マスカル

6月…

7月…

8月…

9月になると空が明るくなり始める。

地面がぬかるんでるなぁ、次回はFRE 3持ってくるか

もうすぐすっかり変わるさうけ合うよ

PLUP
※ソツ

なら、雨季はいつ終わるんだ？

マスカル祭の頃かな

9月末、エチオピア正教会の信徒たちはマスカル、すなわち「真の十字架発見祭り」を祝う。

エチオピアの歳時記で最も重要な行事だ。

92

アディスアベバの大きな広場、マスカル・スクエアでの
祈りの夜会は歓喜の巨大な焚き火で終わる。

子どもたちが大好きなのでヴァンサンは
この伝統行事を自宅の庭で祝っている。

さぁ、火が
つきましたよ

芝の束が崩れる方向によって
いい年になるか悪い年になるか占うんです

もし木の束が東か北か南に落ちたらいい年になる

つまり4分の3は吉ってこと…

君は逮捕されたセマヤウィ党*の若者を知ってる？

ええ、フェイスブックに2回投稿して「テロリスム」だと非難され…

東だ！

CRACK
ドテッ

クソ…

*ブルーパーティとも呼ばれる野党

94

チカ・ベット

地震は怖いが、5階からは
建設中の工事現場が
くまなく見える。

建設途上のこのニュービジネス街に、ブルドーザーに
抵抗している粗末な家がまだ数件残っている。

「チカ・ベット」だ。トタン板と荒壁土のこれらの家は、
大規模インフラ・プロジェクトに場所を明け渡すため
次々取り壊された。

社の写真家、エリアスがちょうど事務所に来た。

取材に行くか？

Eshi.

当局にとっては、
首都の真ん中のこんな
スラム街、消え去って
然るべきなのだろう。

無理にでも出て
行かせたいんです。
私たちがこんなに
イヤがってるのに

ヘイ、ユー
チャイナ？

うたい文句の
最新設備も
まともに動きっこ
ありませんや

これら新しい住宅は、60年代フランスの
団地群に奇妙に似ている。

…今やすっかり
荒廃したあの郊外
団地に…

この新住宅地に、フランスの郊外団地と
違う運命がある、そう想像するのは難しい…

クラッシュ

エチオピア航空は国の花形企業だ。

アフリカ産の
飛行シミュレーターは
これ1つしか
ありません

この国有航空会社の
発展ぶりは、近年目覚ましい。

世界の100か所
行きの…

77機…
間もなく120機…

社長へのインタビューの前に
事業本部を訪ねた。

我々は近いうちアフリカの
ハブ空港になりますから
アフリカの他の都市に
行くのにヨーロッパを
経由する必要が
なくなるでしょう

もっとも収益が
見込める
マーケットは
中国です

研修室も
お見せ
しましょう

またまたお土産はエチオピアの奇跡に関するパンフレット

少なくとも貧困アフリカの大見出しからは脱したのさ

ニキはどうだい？

今日超音波検査をする。それだけのためにイギリスに行くなんて厄介だぜ。でも大使館の強い勧めさ

ここでも超音波検査ならできるけど、検査中異常があっても対処する設備が整ってないから

急患の場合、ケニアや南アフリカになら国連がスタッフを派遣するけど

じゃ、レアと楽しい1週間を！

リンリン
リンリン

妊娠初期はデリケートな時期だ。アディスでは望むような精密検査はしてもらえない。

リンリン
リンリン

105

リンリン

リンリン

NIKI

もしもし？

すべて順調よ、赤ちゃん、ちゃんと着床してるわ！

出産のため再びイギリスに行き、その後数か月向こうにいなきゃならないだろう。

その前にも検査のため1回イギリスに来なきゃならないって

レアは元気？

元気さ。今ご飯食べてるとこ

食事中ペッパーピッグ見せちゃダメよ、わかってる？

見せてない…見せてない…

いいか、あとペッパーピッグ1つ見たらベッドに行くんだぞ

多くっても2つまでだ！

ママァ

トラムウェイ

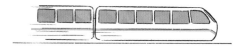

1人
2枚ずつ

1人につき
1枚です!

じゃ、帰りの
分は?

帰る時
また買う
んです

なぜか1回に1枚しか
売ってくれない。

つまりトラムウェイ
に乗りたけりゃ
そのたび列に
並べって?

2つ目の難関は、トラムウェイ
にたどり着くこと。

なんせ、全アディス
市民が試し乗り
しようってん
だから

なのに驚くなかれ、列車はたったの2両。

ガンベラの大虐殺

ガンベラへ
行けと？

そうだ、マシャールは
南スーダンに帰国するのに
必ずガンベラを経由する。
だから、そこにいてくれ

わかりました。
明日ガンベラへ
発ちます

ガンベラは南スーダンとの
国境近くの町。住民の多くは
戦争を逃れてきた同国の難民だ。

エチオピアに亡命している南スーダン反乱軍のリーダー、
リヤク・マシャールは、和平合意により副大統領になる。
そのため今すぐ首都ジュバに帰らねばならない。

ガンベラ空港はさながら野戦キャンプのようだ。
マシャールの兵士たちがリーダーを待っている。

マシャールがいつ着くか、僕は
知らない。町で待機しろとの
指令を受けただけだ。

むろん
タクシーはない…

やぁ！
乗るかい？

幸い、飛行機で知り合ったイタリア
人のエンジニアに出くわした。

こん棒やマチェーテや銃で武装した若者集団が怒号の飛び交う通りを闊歩している。

後で知ったのだが、彼らは、ヌエル族と断固戦うことを決意したアヌアク族の若者だった。彼らはヌエル族をよそ者、あるいは侵入者と見なしていた。

ともあれ、ホテルのロビーはいい雰囲気だ

5階です。階段を上ってください。今日はエレベーターは使えません

なんてこった、部屋が掃除されてない、タバコと汗の匂いプンプン。

僕の階には、
ドアのないトイレ。

コンセプト
は交流？

未完成の階もある。

エ〜?!
チョー危ね！

町の状況はさらに悪化したらしい。
国連と国際 NGO のスタッフがホテルに避難に来た。

何があったん
ですか？

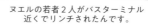

ヌエルの若者 2 人がバスターミナル
近くでリンチされたんです。

私は国境なき医師団と
いっしょにいましたが
暴徒がその事務所と国連の
事務所を襲ったので
ここに退避したんです

このような小競り合いは新聞の国際面にはめったに載らないが、南スーダン戦争の指導者が到着するのを待っているジャーナリストが10人はいるのだから、このガンベラの出来事は世界中に知れ渡るだろう。

部屋にもどると、
一見キレイに見えたが…

…シーツの小さな
バッテンは
そこにあった。

やっぱり
取り替えてない!

僕は収納庫にあったシーツ類で
自らベットメーキングした。

ノミだらけの1枚の毛布にくるまり一晩
過ごしたシリアの砂漠を思い出した。
その毛布は羊の強い匂いがした。

BZZZ…
ブ～ン

今度は蚊か!

クソ!

記憶とは不思議なものだ、後になれば、
これも良い思い出になるのだろう。

翌日は町のリンチ事件の
証人探しに1日費やした。

カフェにいた3人の若者が
取材に応じてくれた。
皆アヌアク族だ。

1人は、ヌエルの若者2人が
リンチされてた時、その場にいたと
断言している。

先に攻撃してきたのは
ヌエルの方です
僕たちは防衛した
だけなんだ

前よりもっと大勢の
ヌエルがやって来る
ようになった。
このままだと
ガンベラがなくなる

南スーダンの領土に
なっちまう

今殺しとか
なきゃ、ヌエルに
オレたちの土地を
奪われる

あなた、サッカーの
取材したことあります？
僕レアル・マドリードの
ファンなんだ

虐殺について人目もはばからず声高に話す若者たちの屈託のなさに、僕はぞっとさせられた。

みんな僕たちを見てるな目立ってる

ホテルに帰ると、支配人がひどく動転していた。

取材したでしょう。町長があなたを探しにきましたよ

もうホテルから出ないで下さい

この滞在は次第に不快なものになっていった。僕はアディスに帰るのを早めることにした。

空港へ行くためバイクタクシーを拾った。

運よく、マシャールが空港に向かっているという。

マシャールは南スーダンに向け離陸するところだった。ジュバの同僚がこの仕事を引き継ぐだろう。やっと僕はアディスに帰れる。

帰りの飛行機を待つ間、僕は、おそらく町の治安維持のためだろう、軍用機から降りてくる兵士たちを写真に撮った。乗客の1人が、保安官にそのことをチクった。

良き市民の満足気な視線の下で、僕は写真を消去させられた。この町にはもう1秒たりともいたくない。

ガンベラは、僕がエチオピアで滞在した中で最も不愉快な場所になりそうだ。

来るのが遅すぎたんだ…

2年早ければ、僕もこの滞在を刺激的だと感じたろう。でも、この町に溢れかえる憎しみは、今の僕を疲れさせる。

僕が望むものそれは澄んだ穏やかさだ

アディスに着くや、エチオピア軍と一緒にソマリアへ行かないか、との誘いの電話が
政府報道局からあった。すぐ出発するという条件で。

干ばつ

エチオピアは 30 年間、甚大な干ばつに見舞われている。ひときわ大きな打撃を被っているのは、南東部のソマリ地方だ。

ジジガ行きの搭乗口は 12 番になりました！12 番です！

ある NGO が、アクセスが厳しく統制されている被災地域を見に行こう、と誘ってくれた。

1000 万人以上が人道援助を必要としているという。

アテンション・プリーズ！

ジジガ行きの搭乗口は 8 番、今から開始します！今すぐ 8 番で搭乗です！

また変更かよ！

飛行機が出発します、お急ぎください！

最後のお知らせです、ジジガ行きは…

でも、出発は 1 時間後のはずだぜ！

エチオピア航空にはよくあることで、40 分早く離陸した。

ソマリ地方

干ばつだってのに、僕たちが到着したのは雨の中だ。

雨はいいニュースのはずだが、道路がたちまち重くぬかるみ、運転困難に。

加えて、しょっぱなから車がパンク。

干ばつだって言うから…

地面が乾きすぎてて雨を吸い込めないんです。やれやれ！

これで、ホントに飢饉なの？

ダメダメ、その言葉は使わないで！

なぜダメ？

「飢饉」はとても意味深な言葉なの、エチオピアでは。気をつけないと

深刻な食料危機とか人道的緊急事態とか言う方がいいわ

「飢饉」という言葉を使ったら、私たち労働許可証を取り上げられるかもしれない

エチオピア政府は、飢饉の記憶を
呼び覚まされたくないのだ。

1984年、エチオピア北部の
ティグレ地方が飢饉に見舞われた。

痩せこけた子どもたちの写真が世界中をかけめぐり

バンド・エイドを結成した歌手のボブ・ゲルドフ
は、大規模慈善コンサートを開催、フランスでは
「国境なき歌手団」がそれを中継した。

以降エチオピアのイメージは、この人道的
大惨事と否応なく結びつくようになった。

開発がエチオピア指導部の
絶対的な最優先事項である
のは、このような惨事に
二度と陥らないためだ。

そもそも、以前
出版された
あなたのその
記事、今読むこと
できるんですか？

しかしこの飢饉が、ティグレ地方の反乱軍を飢えで
苦しめ屈伏させようとした当時の体制デルグの、
断固とした意志の結果だったことを知る人は少ない。

う〜ん…
できない

数時間車に揺られ、骸骨になった動物の遺体が地面にいくつも転がる町に着いた。

家畜を失った遊牧民たちは、今や
完全に人道援助に頼っている。

以前はたくさん
家畜がいたのに
今は羊2匹と
山羊1匹だけ

子どもたちには
1日1杯のシリアルが
与えられる。

子どもたちの腕の太さを
医師が測り、栄養不良の
度合いを厳密に検分する。

その度合いが最も高い子どもたちは栄養摂取センターに
送られるが、そこへの訪問は許可されないだろう。
エチオピアは、栄養不良の子どもたちを見せたくないのだ。

130

この町で見聞きしたことは、僕たちの心を重くふさいだ。ソマリ州の首都ジジガまであと数時間の道のり。その夜、僕たちは食事のおいしいホテルに泊まることになっていた。

ここの遊牧民の運命は天気次第、だからいつも食糧危機と隣り合わせなんです

政府はジジガに大きな棒状住宅団地をいくつも建て遊牧民を定住させようとしました。でも彼らは自分たちのライフスタイルを変えたがりません

また雨？ 大雨になりそうだな…

すでに遅し、川が深くなりすぎて車で渡れない

増水し続けてます。水が引くには一晩かかるでしょう

今日渡るのは無理です

ここで夜明かしも無理です

そう遠くない所に村があるから泊めてもらいましょう

僕たちは村に着き、大きな部屋が
一つだけの住居に案内された。

エチオピア人ガイドはくつろいで
カーペットに座り、
カートを噛み始めた。

リフレッシュ効果があるカートの葉は、
東アフリカで好まれる嗜好品だ。

トライ？

よし
試して
みるか？

すごく
ウマイって
もんでも
ないな

それにしても皮肉だな。
干ばつの真っただ中
雨で立ち往生とは…

よくあることです。
干ばつのせいで
洪水がさらに
ひどくなるんです

食料不足にもかかわらず、家主たちは
米料理と伝統のガレットを
ふるまってくれた。

これ、人道援助
物資かな？

黙って
食え！

電気も電話回線もなく、村人たちの
寛大なもてなしだけで心満たされた
この一夜は、良き思い出として
いつまでも僕の心に残るだろう。

あと数週間、この食糧危機は続く。
だが今回、エチオピアは新聞でこれを
大々的に報道しないだろう。

蜂起

オロモ地域の農地を転用してアディスアベバを拡張する計画
は、デモが多発し、ついに取り下げになった。

僕は、通訳のソロモンと
オロモ地域の小さな町へ行った。

アディスから30kmのスルルタだ。
商店はすべて、抗議の印に
ドアを閉めていた。

すでに3人
に取材を
拒否され…

人々は恐れてますね
ヴァンサン。ここは
どうだろ

外国人記者です
2、3質問させて
ください

いいですけど
外ではダメです。
お入りください

全員が全員を
監視してます。
密告者だらけです

警官は発砲
しましたが
我々を逮捕は
しませんでした

138

アディスからは、何も窺い知れない。

アムハラ地域でも非常に緊張が高まってるらしいよ

フランス人が経営するこのガイズバーは、多くのジャーナリストの溜まり場だ。

少なくともここ10年この国にこんな大規模なデモはなかった

テスファイエの車での帰り道、酒場や娼婦で名高い「シュシンヤ」界隈を通った。

これほど信心深い国で売春にこれほど寛容なのが、僕にはいつも驚きだ。

この繁盛ぶりですな、驚くにゃあたりませんや

政府は開発一点ばり、庶民は息苦しくて息抜きしたいんです

政府系メディアは、デモのこと何も言わないね

ファレンジ！カム！

言わなくたって、私の近所の人はパラボラ持ってますから

みんなESTA*を見てます

*外国から放映している野党系テレビチャンネル

141

バハルダールで
かくれんぼ

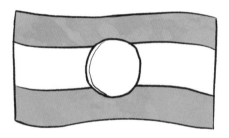

群衆は週を追う毎にふくらみ、
当局は大量逮捕に踏み切った。

頭の上で手を交差するのが、
デモ参加者の抗議のポーズ。

デモを組織するのを
妨害するため、モバイル回線は
切断された。そのため
ヴァンサンとポールは、まだ
Wi-Fi がつながっている
カリムの家で
仕事するようになった。

アッー！また
ブロックされた
フェイスブックと
ツイッター

これまで容認されていた
野党議員も次々と逮捕された。

VPN
使えよ！

ベケレ・
ゲルバ*が
捕まったぜ

ヤッホー 僕の
アドレス帳、全部
つながるぞ！

* オロモ族の主要な野党党員の一人

バハルダール*でアムハラ人が
ティグレ人の店を襲撃したって

行くか…

担当大臣が
アディスから
出る場合は
届け出ろって…

そんなことしたら
尾行されるに
決まってら

* アムハラ州の首都

TIGRÉ
ティグレ州

AMHARA
アムハラ州

AFAR
アファール州

BAHIR DAR
バハルダール

BENISHANGUL-
GUMUZ
ベニシャングル＝グムズ州

GAMBELA
ガンベラ州

ADDIS-ABEBA
アディスアベバ

OROMIA
オロモ州

JIJIGA
ジジガ

SOMALI
ソマリ州

PEUPLES DU SUD
ET DU SUD-OUEST
南部諸民族州

エチオピアには 80 の民族と
言語がある。最大民族のオロモ族は、
次に多いアムハラ族が握る権力から
長い間遠ざけられてきた。
その次に多いのがティグレ族だ。

146

オロモ族とアムハラ族だけで、エチオピアの人口の60%以上。

アディスでは、表面的には反目し合わず共生している。違う民族の両親を持つエチオピア人も多い。

ベビーシッターのエニはティグレ人と結婚している。

料理人のアディスはオロモ人。

運転手のアベベはグラゲ人。

僕たちはバハルダールに行くことにした、むろん届け出せず。

148

ガイドは僕たちをそっと
その家へ入れた。3人の若者が
居間に座っていた。

彼らはみな、デモに参加した
若者たちだった。

AGAZI*が、
屋根から群衆に
発砲しました

兄は、頭に1発
わき腹に1発
2発弾が
あたりました

ゲタチュは自分の
携帯をスワイプし、
犠牲者たちの写真を
次々と繰った

これです。
これが
兄です

*大変恐れられている特殊軍事部隊

この日は
たくさん死者
が出ました

なぜ国旗の真ん中に穴が空いて
いるか、わかりますか？

中央の星を
切り抜いたんです。
この星をつけたのは
EPRDF です。
我々はこんな国旗
拒否します

アムハラの若者たちは汚職や
自由がないことを訴えた。

確かに
開発で発展は
しました。
道路、ビル、
電気…

でもティグレ族が
すべてを支配し
すべての重要ポスト を
占めています

彼らが列挙する不満からは、少数派ティグレ族の利益が優先され、歴史的に
優勢だったアムハラ族が劣勢に立たされていることへの憤りが透けて見えた。

あなたの
お兄さんに
心より
哀悼の意を
表します

兵士が実弾を放ったという証言には、いささか疑問が残る。

会見に応じてくれたのは、
少数民族のアガウ党幹部たちだけだった。

エチオピアの
連邦主義はもはや
機能していません。
TPLF が権力を
持ちすぎて
いるからです

もともとこの連邦主義
は、すべての民族に
一定の自治権を保障
するものでした

でも実際には
民族間の
緊張を高めた
だけです

我々は制度改革を
議論する国民会議を
提案しています

2人とも!?

連絡が
取れない？

まことに
遺憾です…

そうです。
あの記事を
書いたのは
私です

バハルダールで
会った議員が
逮捕されたって。
僕が送った記事が
発表された直後に…

自分のせい
だと思って
るの？

偶然とは
思えない

2人の名前
さえ載せな
ければ…

155

緊急事態

これまで平穏だったアディスは、暴力劇場と化し、少しでも人が集まると即座に蹴散らされた。

道の曲がり角で、手を縛った男らを警官が銃床で殴っている。

道路で追いかけられ逃げまどう人たち。

裏通りには、捕まったデモ参加者の靴の山。

ジャーナリストにも容赦なかった。

公安部隊は私たちとデモ隊と何の区別もしないのよ

デモを撮影していたオーストラリアの
同業者は激しく殴りつけられた。

ウィウィル
キルユー！
（殺すぞ！）

アディス近郊で現場報告中捕まった
英米2人のフリージャーナリストは
一晩刑務所で過ごした。

誰かが逮捕された時のために
警戒体制を整えよう

みんな、大使館の支援は
当てにできないと
思った方がいい

特派員会合の合い間に、通訳として雇った若いジャーナリスト
から、もう一緒に働けない、と告げられた。公安に脅されたと言う。

出頭を命じられ、外国人
と仕事をすることは
エチオピアに敵対する
ことだって言われたわ

昨夜、2人の男に
尾けられ、とても
怖かった

AFP通信のカメラマンはヨーロッパに
向かった。難民申請するという。

160

政府は事態を統制する力を失っているようだった。身近な場所も攻撃されるようになった。

ビシャンガリ・ロッジが火事になったわ

僕たちが泊まったあの山小屋？

そうよ、オランダの花農園も荒らされたって

驚かんね。奴ら封鎖する以外手がないんだ

少しでも自由な場所を残すと反対派が占拠するから

国をポジティブなイメージで見せたい政府は、記者たちをイレチャ祭に招待した。オロモ族の盛大な感謝祭だ。

イレチャ祭の取材には、バスを自由にお使いください

161

年に１度のこのセレモニーは、
いつもなら民俗的な喜びに満ち溢れる。

だが、この年の雰囲気はまったく違った。

ダウン、ダウン
Woyane＊！

ステージで若者たちが反体制のスローガン
をコールし始め、群衆がコールを返すと

＊ティグレ人を指す蔑視語

群衆を黙らせようと
警官が空に発砲した。

参加者が将棋倒しになって溝梁に落ち
近くの湖で溺れた。

会場は一挙にパニックにおちいり、

僕たちが現場に着いたのはその翌日だったが、まだ遺体を掘り出していた。

この惨劇でさらに高まったオロモ族の反政府感情は、危険水域に達した。

私たちはもう、TPLFの支配を望みません

私らオロモ族が多数派なんだ

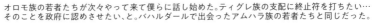

オロモ族の若者たちが次々やって来て僕らに話し始めた。ティグレ族の支配に終止符を打ちたい…そのことを政府に認めさせたい、と。バハルダールで出会ったアムハラ族の若者たちと同じだった。

逮捕されるぞ間違いなく！

そうなった時のためにニキにメッセージ送っとこ

でもさぁ、誰か見張りを残してかないかフツー

彼らが戻ってくる前に、いなくなりゃいいんです！

誰だって独房で一晩、はゴメンだぜ！

サッカー試合

緊急事態にもかかわらず、エチオピアはそれでも
特異な歴史と文化でツーリストを惹きつけている。

知り合ったばかりの友達ベンに連れられ、僕は世界遺産に
登録されている岩窟教会群のあるラリベラに行った。

これを建てさせた
のはラリベラ王
800年前の
ことです

あらゆる意味の
第2教会です。つまり
ラリベラ王は、新たな
エルサレムを作り
たかったのです

どうやって手作業で凝灰岩をくり抜き、
これら壮大な建造物を作り上げたのか、
再現するのは困難だ。

天使たちが空から
降りて来て、一晩で
全部作ったと
言われています

確かに
天使の助け
が必要
だろうよ

タイムスリップしたような週に1度の
ラリベラ市場も必見だ。

この地方の
有名な
市場です

周辺の村から、時にはまる
1日かけて、自分たちの商品
を売りに歩いてくるんです

ここで売られているのはすべて地元産で
プラスチック製品や輸入品は一切ない。

標高の高い高原の道が、石と荒土壁造り
の伝統的な家々の集落を
いくつも通り抜けて続く。

これらの家は
トゥクルと
呼ばれています

ここで人々は
動物たちと共に
とても原始的な
暮らしを
しています

とはいえ、同じような暮らしがヨーロッパの
田舎にあったのは、それ程遠い昔ではない。

おばあちゃんが僕によく話してくれた。
子ども時代のグルノーブルの田舎の家に、どんな造りの中庭があって、
母家に続く家畜小屋で動物たちがどんな風に飼われていたか。

コンゴ民主共和国が任地の女友達の
エチオピア観光は、もっと物騒だったらしい。

私たちゴンダールに
皇帝の城を
見に行ったのよ

そしたら飛行機が降りたのが
暴動の真っただ中で！
そこら中デモ隊だらけ。
警官との熾烈な激突

ホテルに缶詰めで
帰国便を待ち、結局一歩も
外に出れなかった

2日間、ホテルにあった1本のDVDを
繰り返し繰り返し見続けたわ。
催涙ガスの臭いの充満する部屋で。

ハッキリ言って
ゴーマの方が
ゴンダールより
ずっと平穏よ

出発

南アフリカか、ヨルダンか…僕たちはここ数か月、それが何処かわからないまま、
サーシャの次の転動のためエチオピアを去る準備をしていた。

するとモグラが言いました。「馬くん、ボクの頭にウンチしたのは君?」

決まったわ。辞令が出たの

インドよ。ニューデリーに行くことになったわ

ハァ?

インド?

1か月以内に行かなきゃならないの

何だって?急すぎだろ!

僕はまだここでやり残したこといっぱいある!

あたし、インド行きたくな〜い!

174

興奮と不安の瞬間だ、この9年間僕らは3つの国で生きてきた。

1980 年代に飢饉に見舞われたのは、ここ、ティグレ州のメケレだ。

ベィビー！
ベィビー！

ボク赤ちゃん
じゃないや！

あっ
白蜂蜜*だ！

*ティグレの白蜂蜜はとても貴重で人気がある。

飢饉のトラウマは今も残っている。ティグレの指導者が開発政治に執着し
批判に対して不寛容なのも、このトラウマにより説明できる。

もうこれ
喰えなくなるん
にゃ、これ…

デルグ独裁体制と戦ったティグレ反乱軍が勝利し
「新しいエチオピア」の出発点となった、それを記念するのが殉教者博物館だ。

博物館では、数年にわたる
ゲリラ戦を詳細に
物語っている。

あれ、何?

カラシニコフよ

じゃ
これは?

これは?

パパは
エチオピアがまた
戦争になると思う?

う〜ん…

おいで、人々が
山岳地帯でどう
生きていたか
見に行こう…

177

カリムは、ドナルド・トランプが選ばれたばかりの
アメリカに戻る。ワシントンの AFP 通信社に異動だ。

3年でこんなに溜め
込んだなんて
信じられんな！

引越しのたび、僕のミニマリズム趣味は捨てるのが嫌いなニキと対立する。

この
テレビは？

エニが
もらって
くれる

この服は？

寄付
するわ

本は？ いっくらなんでも
全部は読めないだろ

あげる？
捨てる？

私の本は
持ってくわよ！

君、ほんとに
再読するのか？
この『Building Local
Capacities for Peace
（平和のための地域力形成）』？

そのゴルフ・
クラブは
置いてってよ

178

僕たちのエチオピア滞在は、内戦の気配が
漂う中、2人いっしょに終わることになった。

これがおそらく
僕たちの最後の
情報相記者会見だね

ゲタチェウ・レダ政府報道官は、
エチオピア指導部の新世代に属する。
彼は体制擁護のためなら
現実を曲解することなど
ものともしない。

僕ら
「テロリスト分子」の
資格充分だったな

これら国家を
不安定化する者は
外国勢力に
繰られています

我々はそんな
騒乱分子のために
「リハビリテーション・
センター」を開設
しました

そこで彼らに
少しばかり
フィットネス
してもらいます

僕たちは、最後の
共同インタビューで、
エチオピアの未来の輪郭を
描こうと試みた。

ヨーロッパの外交官

内戦？
可能性は低いでしょう。
体制は堅固で手綱を
しっかり握ってます

しかしもし状況が
悪化したら、数万の
避難民が生じる
人道危機が懸念されます

そしてヨーロッパに
新たな移民の波が…

政府を批判し、1年以上刑
務所にいたブロガー

未来？
何も変わりませんよ。
体制には
改革能力がないから

友人の多くは
アメリカの居住権を
得ようとしてます

公正で現実的な分析で
定評のあるフランスの専門家

民族的アイデンティティは
国民感情の上に築かれます。
国民は強いリーダーを
求めています

しかしそれはだれか？
ハイレマリアム現首相では
ないでしょう。いずれにせよ…

何が最悪か、不確かですが
私はエチオピアが少しずつ
解体してゆくのでは、と
危惧しています

事務所で、後任に
引き継ぎメモを書いた。

民族的対立が
増大している。
次第に、地域紛争…

関係者のリストを
残すが、多くは
刑務所か
亡命先にいる…

役人の言葉には
警戒した方がいい。
当局はたやすく
嘘をつく。

チギスのサポートは、
エチオピアの官僚と
交渉するのに不可欠だ。

数週間以内に
後釜の特派員が
来るよ

エチオピアがいい
思い出として残る
よう、祈ってますわ

僕たちのサヨナラに、僕は
思ってた以上にウルウルした。

よく働いた
良き3年間

ベビーシッターと
庭師の次の雇い主を
見つけたよ。
この人さ

6年エチオピアに
いたけど、この国の
表面をかすめることしか
できなかった気がする

少なくとも君は
アムハラ語が
ちょっと話せる
ようになったじゃ
ないか

正直言って担当するのが
難しい国だったよ。
ガザでさえ、取材のたびに
逮捕される心配するなんて
ありえなかった

もともと秘密主義の
土壌はあったけど、デモ以来
それがどんどんひどくなっ
て、政府はますます
硬直化していったね

エチオピアの我が家、中は天国その外で、
地獄の業火が燃えさかる。

エチオピアのことわざ

僕らが出国した後、アフリカで2番目に人口の多いエチオピアが、本当に内戦になった。アディスアベバの政府軍とティグレ防衛軍の紛争だ。2018年に政権を握ったオロモ人の新首相アビィ・アハメドに対峙する、志願兵から成る雑多な武装集団のティグレ人。後者は、以前政府軍だったティグレの元将校や元司令官たちで、40年前にデルグ*と戦った親世代、祖父母世代と同じようなレジスタンスを展開した。

内戦の最初の2年間、アビィ・アハメド軍は次々と予想外の反撃にあった。エリトリアの援軍と無差別空爆によっても、ティグレ軍を陥落できずに甚大な損失を被り、ティグレの反乱者たちがアディスアベバの2～300kmまで迫ったところで、やっと阻止した。

2022年10月、和平合意が結ばれたが、
守られるかどうか、不確かだ。

この内戦の人的被害は莫大だった。死者数は30万人？　60万人？　本当のところは誰にもわからない。戦闘は、ジャーナリストの目のとどかない遠い所で行われ、戦地のインターネットはアディスアベバ当局が遮断した。しかし、にもかかわらず、SNSが出現して以来どんな紛争でも必ず、処刑や生きて焼かれる捕虜や強姦のショートビデオが流布され、この内戦でも両陣営の犯した残忍さが暴露されている。

*社会主義エチオピア暫定軍事政権（1974~1987）

数百万もの人々が、同じエチオピア人の軍隊に家を追われ、飢えに苦しめられた。政府の非情な封鎖により時々思い出したようにしか人道支援物資がティグレ州に届かなかったからだ。二度と繰り返さないとこの国が誓った1980年代のあの飢饉と、まったく同じ構図の繰り返しだ。

それでもエチオピアに幸福が訪れた時はあった。アビィ・アハメドが2018年に首相の座に就いた時、元軍人でオロモ族初のこのリーダーは、政治犯を釈放して報道の自由と複数政党制を約束し、エリトリアとの和平を達成した。そして、この歴史的和解により2019年にノーベル平和賞を受賞した。僕たちも感激を共にした。アビィ・アハメドは前任者たちの30年間の権威主義体制と決別するだろう、重石が取れたように。

これらの希望はしかし、アビィ・アハメドが突然、強硬策に転じたことで潰えた。彼は、自身の首相任命に反感を持っていたTPLF*のティグレ人を遠ざけるようになった。そして事態は、武装衝突が勃発するまでに悪化した。2020年11月のことだ。

*ティグレ人民解放戦線

中国の気前の良さは、多大な借金を残したまま急速に低下した。北京は、エチオピアの負債のおよそ半分を握っている。およそ400件のインフラ・プロジェクトに対する返済額は140億ドル近くにのぼるといわれ、アビィ政権は返済に苦慮している。エチオピアがアフリカ唯一のケースではない。中国は、依存関係を維持するためにアフリカを「債務のわな」に引きずり込んだ、と非難されている。

僕たちはこの文を、激化する戦地にいる知人友人の身を案じながら書いている。ある日に、平和で穏やかな町だったメケレが爆撃されたと知らされ、また別の日、岩窟教会群のあるラリベラが戦場になったと知った。僕たちが定期的に通っていたアディスアベバとジブチを結ぶ道路で大量虐殺があり、次いで、僕たちが訪れたエリトリア人の難民キャンプが大量殺戮の劇場と化した。エリトリアの援軍兵とティグレの戦闘員が代わる代わる行ったのだ。

この破局の前触れは、滞在中からすでに目についてはいた。しかし状況は、僕たちの想像をはるかに超え激化した。数年に渡る目覚ましい社会経済の発展が賛嘆の的となり、多くの希望をアフリカに与えた大陸の模範国、あのエチオピアは、もはやない。

エチオピアで暮らしていた数年間、違う道がきっとある、エチオピア人たちは自分たちの不和を乗り越えられる、という希望が、僕たちに絶えたことはなかった。ディアスポラたちはいっせいに自分の国に戻り投資を始めていたし、大がかりなインフラ施設と生まれたばかりの工業団地が、まだ多くが農村のこの国を再開発した。スタートアップ企業も次々現れて、国家の威圧を吹き飛ばしていた。

ますます目につきにくくなっているけれど、でもますますしぶとく頑強にエチオピアにあり続けるこれら希望の兆しゆえ、この恐ろしい内戦の傷を癒す術を必ずやこの国は知っている、と僕たちは考え、希望をつないでいる。

2023年1月
カリム・ルブール、ヴァンサン・ドゥフェ

【訳者解説】苦難と混迷のエチオピア

　映画『ボヘミアン・ラプソディ』の圧巻のラスト、あのフレディ・マーキュリーの渾身の大舞台がライヴエイドである。

　ライヴエイドは、エチオピアの飢饉を伝えるBBCニュースに衝撃を受けた英国のミュージシャン、ボブ・ゲルドフが呼びかけ、「1億人の飢饉を救う」「アフリカ難民救済」を掲げて1985年に行われた、20世紀最大のチャリティコンサートだ。当時、キャンペーン・ソング『ウィ・アー・ザ・ワールド』とともに飢饉に苦しむエチオピアの子どもたちの写真が世界中を駆け巡った。フランスではこれに連帯した国境なき歌手団が『エチオピア』をリリースし大ヒット。

　本書は、ニューヨークから特派員としてエチオピアに向かう機内で、フランス人ジャーナリストのカリムがこのシャンソンを口ずさむところから始まる。時はライブエイドから約30年が経過した2014年1月。エチオピア駐在の先輩・ヴァンサンとカリムがタッグを組む、バディ（相棒）ものルポルタージュの幕開けである。

孤高の帝国から社会主義軍事政権へ、そして民族連邦共和国に

　ライヴエイドからさらに10年ほど前の1974年、紀元前より続いたエチオピアの帝政は、最後の皇帝ハイレ・サラシエ1世が軍のクーデタで逮捕され、終焉した。アフリカ大陸で唯一欧米の侵略を許さなかった、誇り高きエチオピア帝国の崩壊である。

　軍は、ソ連を後ろ盾とした社会主義エチオピア軍事暫定政権（Derg=デルグ）を設立。しかし各民族やエリトリア州の分離主義者による反乱、隣国ソマリアとの戦争、経済の低迷等で、国内は混乱をきわめた。これを鎮圧するために軍人政治家メンギスツが行った恐怖政治や粛清で、数十万人が殺害されたとされる。ライヴエイド当時のエチオピアは、そんなメンギスツ政権下にあった。この社会主義軍事独裁政権に対抗し、少数派ティグレ[1]人による人民解放戦線が、多数派のオロモ人やアムハラ人らの派閥と連合してエチオピア人民革命民主戦線（EPRDF）を結成。1991年には社会主義を放棄した新しい政権を樹立した。長い間独立戦争を戦っていたエリトリアは、これを機にエチオピアからの独立を果たすが、領有地を巡り火種を残し、その後も国境紛争が続く。本書でカリムはエリトリアを「アフリカの北朝鮮」と呼んでいる。

EPRDF は、複数の民族政党で構成される政党連合として、1991 年から 2019 年までエチオピアの与党勢力となり、すべての民族に自治権を認める民族連邦制をとった。だがその実態は、ティグレ人民解放戦線の元トップ、メレス・ゼナウィが反対派や国民の批判を徹底的に弾圧し、新憲法に明記されたはずの表現の自由や人権を遵守しない、ティグレ人優位の強権政治だった。ちなみに、WHO の現事務局長テドロス・アダノムは、ティグレ人民解放戦線に所属のエチオピアの政治家で、ゼナウィ内閣では保健大臣を務めている。

　ゼナウィの執った開発独裁的手法によりエチオピア経済はめざましい成長を遂げ、民族間の対立も表面的には抑え込まれていたが、2012 年にこのカリスマ指導者が死去すると、盤石だったはずの政権に綻びが生じ始め、国民にも民族間格差への反感が高まってゆく。

　カリムが降り立つ本書の舞台は、このような政情下にあるエチオピアの首都・アディスアベバである。カリムとヴァンサン二人のジャーナリストは、パラノイアックとも言える権力の、時に馬鹿馬鹿しく滑稽な、また時にゾッとさせるエピソードの数々を、レオ・トリニダードの軽妙洒脱な絵に載せ、ユーモラスに描いている。そして、そんな強権的施策をなんとか切り抜けようともがく民衆の姿と、口封じされた人々の間に高まってゆく不穏な緊張を、厳しい言論統制をかい潜りながらの“ガチな”取材で明らかにしていく。

チャイナフリカの時代

　エチオピアについては旧約聖書に登場する「シバの女王」とライヴエイドくらいしか頭にないカリムが、アディスアベバに着くや驚くのは、街中工事だらけなこと。経済成長率が年 10％を超える開発発展の真っただ中、そこはもはや、国境なき歌手団が歌った、あの悲惨なエチオピアではない。

　しかしすぐ、その多くが中国資本による開発であることがわかる。サブタイトルにもなっている「チャイナフリカ」である。原書のフランス語 chinafrique（シナフリック）の拙訳だが、これに先行する言葉は françafrique（フランサフリック）であろう。フランスの政軍財界と旧植民地アフリカ諸国の政権との不透明な癒着関係を皮肉る、フランスの新植民地主義を指す言葉だ。1999 年に刊行された Verschave François-Xavier 著 *La françafrique: le plus long scandale de la République*（『フランサフリック——アフリカを食いものにする

フランス[2]』）は、当時欧米で大きな物議を醸した。

　旧植民地コートジボワールでも、アフリカン・レゲエの巨星ティケン・ジャー・ファコリーが、2002年のアルバム『フランサフリック[3]』で、「フランスの対アフリカ政策はヒデえインチキだ　とんでもない嘘デタラメ……ヤツらは武器を売りつける　アフリカで戦争してる時はな　ヤツらはオレらから財産かっぱらってく　そんで、アフリカは常に戦争してて驚きだ！とぬかしやがる　ヤツらはコンゴを焼き払った　アンゴラに火を放った　ヤツらはガボンをめちゃくちゃにした　ヤツらはキンシャサを火の海にした（訳：鈴木考弥）」と歌った。旧宗主国へのストレートな憤懣だ。

　こうした反仏感情の延長線上に、2020年マリ、2021年ギニア、2022年ブルキナファソ、2023年ニジェール及びガボンと、旧フランス植民地でクーデターが相次ぎ、駐留フランス軍が次々撤退したことは記憶に新しい。

　チャイナフリカ（＝シナフリック）に話を戻そう。想像もしていなかったエチオピアの姿にフランサフリックをもじったらしいこの造語を思い浮かべたカリムたちは、アディスアベバでの中国のふるまいに、新植民地主義を見たに相違ない。

　むろん中国は旧宗主国ではないが、エチオピアをはじめいくつかのアフリカの国々は、「新シルクロード（一帯一路）」政策を推進する中国にとって地政学的にきわめて重要だ。本書は、中国の巨大な融資により街が見る間に変わってゆき、人々の馴染んできた生活が破壊されてゆく過程や、それが役人の汚職を生んでいる様を、そこに生活する人々の目線で描く。

　中国によるアフリカの国々への巨額な投資には「債務のわな[4]」があるとして、度々非難されてきた。一方、コロナやウクライナ侵攻による物価上昇で経済状況が極度に悪化した債務国の増加により、融資の回収が見通せない中国もまた「債務のわな」に苦しんでいるとも言われる。中国経済の低迷もあってか、中国からアフリカへの融資は急速に低下した。中国のアフリカ全体への融資額は、カリムたちがエチオピアに滞在していた2016年が285億ドルでピーク、2022年には9億9000万ドルへと激減している[5]。

中国のなかのアフリカ

　訳者は北京で、チャイナフリカの別の一面を垣間見たことがある。

　2005年1月、中国に旅行した時のことだ。中国がWTOに加盟して3年あ

まり、北京オリンピックの3年前。北京で地下鉄に乗ったとたん、アフリカの子どもたちの明るい笑顔の映像が、目に飛び込んできた。ただただ、びっくりした。日本ではドアの上方にあるモニター画面が、ドア近くの金属の握り棒の、ちょうど顔の位置に設置されていた。子どもたちの笑顔の横には「アフリカは中国のパートナー」と書かれていた。日本もアフリカ開発会議（TICADO）を開催している。しかしこんな広告を日本で目にしたことはない。否が応でも目に入る、地下鉄車内のモニターに国策CMを放映するなんて、国民一人一人へのアピールが全然ちがう！

　中国は1990年代末から積極的にアフリカへのアプローチを始め、2000年10月、初の中国・アフリカ協力フォーラム（FOCAC）を北京で開催した。2003年、2回目の開催地がアディスアベバだ。その後、あの地下鉄のアピールが功を奏してか（？）多くの中国人がアフリカに渡った。『中国第二の大陸　アフリカ── 一〇〇万人の移民が築く新たな帝国[6]』によれば、2000年代半ばから2010年代半ばまでの10年間で、100万人の中国人がアフリカに移住したという。なお、カリムらがアディスアベバに滞在した当時、エチオピアには13万人の中国人が暮らしていた。同時期の在留日本人は200人である[7]。

　訳者が訪れた2005年の中国は、経済成長率がゆうに10％を超え、オリンピック前の北京は高層ビルの建設ラッシュ、街は活気にあふれていた。その工事中のビルの裏側で、まだ人々が住んでいる気配のある胡同（フートン）の家々が取り壊されているのを見た時、北京の古い町並みを伝えるとされるその細い路地を歩くことを楽しみにしていた訳者は、ショックだった（保存地区に指定され残された一部の胡同は今、人気の観光スポットになっているらしい）。

　10％以上の経済成長率、首都は街中工事だらけ、急速な開発発展の裏側で取り壊される昔ながらの庶民の家（中国では胡同、エチオピアではチカベット[8]）。今思えば、当時の中国は、本書で描かれるアディスアベバにそっくりだ。ダム建設（ナイル川ダム『ルネッサンス』）によって水没予定の村にまつわる悲劇は、中国で2007年、ジャ・ジャンクーが『長江哀歌』で映画化している。

『エチオピアの季節』後のエチオピア──再びの内戦と飢饉と

　2017年、3年の駐在を終えたカリムと、パートナーの転勤に伴いインドに赴くヴァンサンは、エチオピアの未来に強い不安を覚えながら、ともにアディスアベバを去る。

その後のエチオピアについては連名の跋文に詳しいが、二人の不安は不幸にも的中、間もなくエチオピアは内戦に陥る。ティグレ紛争だ。その戦況を書き記す跋文の筆致は悲痛である。本書で馴染んだエチオピアの人々の姿や暮らしに、あまりに凄惨な戦禍が覆い被さって、読む者の胸を締めつける。

　二人が去った翌々年の2018年、最大民族であるオロモ族出身のアビィ・アハメドがエチオピアの首相に就任した。そして2019年、アビィ首相はエリトリアとの国境紛争の解決に尽力したとしてノーベル平和賞を受賞。この時国際社会は、長年紛争の絶えない「アフリカの角[9]」地域に平和と安定が訪れることを期待した。

　だが、27年間国政を支配してきたティグレ人はアビィ政権と対立。アビィ首相が結成したEPRDFの後継政党「繁栄党」に加わらず、離反してティグレ州に逃れる。そして2020年11月、アビィ首相はティグレ人が政府軍の基地を攻撃したとしてティグレ州への侵攻を宣言、ティグレ紛争が始まる。政府軍は他州の軍やエリトリア軍を巻き込んで空爆や砲撃を繰り返したが、ティグレ人らの攻勢は強硬で、「40年前にデルグと戦った親世代、祖父母世代と同じようなレジスタンスを展開した（跋文）」。

　この内戦のさなかの2020年、ライヴエイド以降最悪の干ばつが東アフリカを襲った。国連は、エチオピア政府がティグレ州への移動を厳しく制限し食料支援が進まないと政府を非難、ティグレ州で人口の4割にあたる200万人が「極度の食料不足」にあるとした。また同時期、多くの欧米メディアは、エチオピア、エリトリアの両政府軍がティグレ人の民族浄化を図っている、とも非難している。

　この内戦による死者は数十万人。カリムとヴァンサンはこの状況を「二度と繰り返さないとこの国が誓った1980年代のあの飢饉と、まったく同じ構図の繰り返しだ（跋文）」と悲嘆する。本編においてすでに「しかしこの飢饉（1980年代）が、ティグレ地方の反乱軍を飢えで苦しめ屈伏させようとした当時の体制、デルグの、断固とした意志の結果だったことを知る人は少ない（p.129）」とカリムが指摘していたのを思い出すと、いっそうやるせない思いに苛まれる。

　2022年11月、ようやく連邦政府とティグレ人民解放戦線は停戦文書に調印。その後のエチオピアは、国境周辺で散発的に武力衝突が発生しているものの、ティグレ紛争は再燃しておらず、「概ね和平合意の履行が進んでいる」（外務省ホームページより）という。

この内戦の傷も癒えぬ2023年半ば、異常気象による豪雨が「アフリカの角」を襲い、未曾有の大洪水が引き起こされた。本書でも描かれている（p.128）ように、干ばつにより極度に乾燥した地面は雨を吸収できず、その被害はさらに甚大なものとなる。豪雨は現在（2023年12月時点）も続いており、この地域で350人以上が死亡し100万人以上が避難した。「アフリカの角」は気候変動の影響を特に受けやすいとされ、水害と干ばつが今後ますます増える恐れがあるという[10]。

一方、2023年8月24日BRICS[11]首脳会議は、アルゼンチン、エジプト、エチオピア、イラン、サウジアラビア、アラブ首長国連合の6か国が、翌年からBRICSに新規加盟すると発表した。このBRICSの拡大は、ロシアのウクライナ侵攻により存在感を高めているグローバルサウスの枠組みを強化するものとして注目されている。

これを受けたアビィ首相は自身のX（旧ツイッター）で、「BRICSのリーダーたちがエチオピアを支持する、素晴らしい瞬間を迎えた。エチオピアは包括的で繁栄した世界秩序のため、協力する準備ができている」と発信した[12]。一帯一路を推進する中国に多額の債務を負うエチオピアだが、BRICSの一員として、グローバルサウスの雄として、今後どんな活躍を見せてくれるだろうか。

エチオピアン・ラプソディ

本書の原題 *Une saison en Éthiopie*（ユヌ・セゾン・アン・エチオピー）について、フランス西部地方の日刊新聞 *Oest France* の書評に「本コミックのタイトルは、アルチュール・ランボーの詩集『地獄の季節　*Une saison en enfer*（ユヌ・セゾン・アン・アンフェール）』への粋な目配せだ」との記述がある。周知の通り『地獄の季節』はランボーの文学への決別の書とされ、以降ランボーはエチオピアのハラールを拠点に貿易商として暮らすのだが、このことは本書でもヴァンサンが言及している。そう言われると、文脈はまったく異なるものの、跋文の中扉で引用されることわざ「エチオピアの我が家、中は天国その外で、地獄の業火が燃えさかる」も何か暗合めいてくる。

訳者にとって欠かせない、もう一人のエチオピアゆかりの人物は、ジャマイカのレゲエミュージシャン、ボブ・マーリーである。彼が傾倒したラスタファ

リズムは、1930 年代にジャマイカで興ったアフリカ回帰の思想運動で、エチオピア最後の皇帝ハイレ・サラシエ 1 世を Jah（ジャー＝唯一神）の化身とする。ラスタファリという名称も、サラシエの即位前の名前ラス・タファリ・マコンネンに由来するという。サラシエ 1 世は 1950 年代、アフリカへの回帰を望む奴隷の子孫、ラスタファリアン（ラスタ）たちに、シャシャマネ（アディスアベバの南方 250 キロ）の土地 500 ヘクタールを無償で与えた。しかし、クーデターでサラシエ 1 世を打倒したメンギスツはその土地を没収。多くのラスタは迫害を恐れ土地を離れたが、今もシャシャマネにはラスタ・コミューンがありレゲエの聖地となっている。ボブ・マーリー夫人はここにボブの遺骨を再埋葬することを希望したが、叶わなかったらしい。

　1975 年、クーデターで軟禁されていたサラシエ 1 世が処刑されると、ボブ・マーリーは『Jah Live [13]』をリリースし「Jah は生きている」と歌った。続いて UK ジャマイカンのレゲエバンド、アスワドも『エチオピアン・ラプソディ [14]』をリリースしている。レゲエカルチャーを象徴するラスタカラーの赤・黄・緑は汎アフリカ色ともいわれ、エチオピア国旗の色そのものである。

　ランボーもボブ・マーリーも愛したエチオピア。
「それでも、この国は素晴らしい」（本書 p.75）

　最後に、それぞれのご専門の最前線を、何の専門も持たない訳者にいつも易しくお教えくださる田近栄治先生、尾方一郎先生、高見澤秀幸先生、そして、日本の人々にもっとアフリカに関心を寄せて欲しい、との思いを共にし、本書刊行までいっしょに走り抜けてくださった花伝社編集部の大澤茉実さんに、心より感謝とお礼を申し上げます。

2024 年 2 月　　訳者

【注】

1　日本の外務省や一部メディアはティグライと表記。

2　フランソワ＝グザヴィエ ヴェルシャヴ『フランサフリック——アフリカを食いものにするフランス』大野英士・高橋武智訳、2003 年、緑風出版。

3　ティケン・ジャー・ファコリー『françafrique』2002 年 バークレイ・フランス

4　中国による途上国向け融資について、多額の債務を返済できずに港湾施設などの権益譲渡を迫

られる国が出てきたことから、報道のなかで「債務のわな」に陥った等の表現が使用されるようになった。

5　2023 年 9 月 28 日付「ビジネス短信」ジェトロ（日本貿易振興機構）https://www.jetro.go.jp/biznews/2023/09/db0729b1c6a889c9.html

6　ハワード・W・フレンチ『中国第二の大陸 アフリカ———一〇〇万の移民が築く新たな帝国』栗原泉訳、2016 年、白水社。

7　2016 年 8 月 15 日付「東洋経済 Online」https://toyokeizai.net/category/358

8　チカベット（Chika Bet）は、木を補強材に用いた泥壁の家。

9　「アフリカの角」とは、インド洋と紅海に向かって"角"の様に突き出たアフリカ大陸東部の呼称で、エチオピア、エリトリア、ジブチ、ソマリア、ケニアの各国が含まれる地域のこと（外務省ホームページ　https://www.mofa.go.jp/mofaj/press/pr/wakaru/topics/vol78/）

10　2023 年 12 月 15 日付 CNN https://www.cnn.co.jp/amp/article/35212338.html

11　2000 年代以降に著しい経済発展を遂げた 5 か国（ブラジル、ロシア、インド、中国、南アフリカ）の総称

12　2023 年 8 月 30 日付「ビジネス短信」ジェトロ（日本貿易振興機構）https://www.jetro.go.jp/biznews/2023/08/ccb01a4314e8aef8.html

13　ボブ・マーリー＆ザ・ウェイラーズ『Jah Live』1975 年 Tuff Gong

14　アスワド『エチオピアン・ラプソディ』1976 年 Island Records

［作］
ヴァンサン・ドゥフェ（Vincent Defait）
2011 年から 2016 年まで「アフリカの角」で特派員をしていた。ジュネーブとコートジボワールに続いてのエチオピア滞在。著書に、*Kazenchis se tait le dimenche*（Cambourkis 2019）。現在ウガンダの国連支部で働いている。

カリム・ルブール（Karim Lebhour）
フランス通信社の仕事で 3 年間エチオピアに滞在。前著 *Une saison à l' ONU*（Steinkis 2019）は、国連の特派員としてニューヨークで仕事をした経験譚。今はワシントンで暮らしている。

［絵］
レオ・トリニダード（Léo Trinidad）
コスタリカのアニメーター、イラストレーター。2018 年、フランス・中米アライアンスが主催する若手マンガ家コンクールで優勝。著書（共著）に、*Les fleurs de la guérilla*（Les Arenes 2022）。

［訳］
石村恵子（いしむら・けいこ）
青山学院大学文学部卒。大学図書館勤務のかたわら、アテネフランセでフランス語を学ぶ。退職後、アフリカのフランス語絵本やマンガ本を翻訳し、日本のメディアに紹介している。

エチオピアの季節——チャイナフリカ、マキアート、内戦前夜の3年間

2024 年 3 月 25 日　初版第 1 刷発行

著者 —————— ヴァンサン・ドゥフェ／カリム・ルブール／レオ・トリニダード
訳者 —————— 石村恵子
発行者 ————— 平田　勝
発行 ——————— 花伝社
発売 ——————— 共栄書房
〒 101-0065　東京都千代田区西神田 2-5-11 出版輸送ビル 2F
電話　　　　　　03-3263-3813
FAX　　　　　　03-3239-8272
E-mail　　　　　info@kadensha.net
URL　　　　　　https://www.kadensha.net
振替　　　　　　00140-6-59661
カバーデザイン — 北田雄一郎
印刷・製本 ——— 中央精版印刷株式会社

ISBN978-4-7634-2108-1 C0098

2枚のコイン
──アフリカで暮らした3か月

作：ヌリア・タマリット
訳：吉田 恵
定価：1980円

●"泥棒"はいつも、「金」目当て──
大国による搾取が蝕む、美しい世界

17歳、片時もスマホを手放せない"今どきの若者"マル。ボランティア
支援リーダーの母親に連れられて、スペインからセネガル北部、ウォロ
フ族の村にやってくる。そこは、マルの知らない自由で彩られていた。

「みんなで所有すれば、貧しさで死ぬ人なんかいない」
本当の豊かさとは、支援とは。スペイン発のグラフィックノベル。